KB103827

시를 읽는 마을 사화집

이제
우리가 빛날 차례이다

이제 우리가 빛날 차례이다

발행	2024년 01월 03일
저자	강희창, 김일곤, 박수인, 박태현, 박현아,
	석병오, 신진철, 최상만, 최석종, 황의종
펴낸이	한건희
펴낸곳	주식회사 부크크
출판사등록	2014.07.15.(제2014-16호)
주소	서울 금천구 가산디지털1로 119 SK트윈테크타워 A동 305호 (주)부크크
전화	1670-8316
E-mail	info@bookk.co.kr
ISBN	979-11-410-6361-0

www.bookk.co.kr

이제
우리가 빛날 차례이다

강희창 · 김일곤 · 박수인 · 박태현 · 박현아
석병오 · 신진철 · 최상만 · 최석종 · 황의종 지음

발간사

사화집 『이제 우리가 빛날 차례이다』는 페이스북 『시를 읽는 마을』의 주민들이 만든 시집이다. 페이스북 『시를 읽는 마을』의 현재 주민은 9,500명이 넘는다. 자신의 시를 포스팅하고, 좋아하는 시를 포스팅하며 서로 시를, 문학을 나누는 거대한 공간으로 성장하였다.

서로 만난 적은 없지만, 그룹『시를 읽는 마을』에서 만난 시를 좋아하는 사람들이 뭉친 것이다. 등단한 시인도 있고, 등단을 준비하고 있는 작가도 있다. 시를 처음 써 보는 분도 있다. 하지만 시를 좋아하고 살아오면서 느낀 정서를 시로 형상화하려는 마음은 서로 다르지 않다.

문학이 가야 할 방향은 독자의 숲속으로 시가 들어가 들꽃이 되고 야생초가 되고, 독자와 함께 숲을 이루어야 한다는 것이다. 문학과 독자가 먼 문학은 문학이라 할 수 없다.

시의 표현이 덜 시적이면 어떤가. 독자의 가슴에 울림을 준다면 벽에 낙서도 좋은 시가 될 수 있다고 믿는다. 시가 한 사람의 마음에라도 머물 수 있다면, 그래서 세상이 좀더 따뜻해질 수 있다면, 마음이 좀더 맑아질 수 있다면 얼마나 좋으랴.

『시를 읽는 마을』에 시인 10명이 처음으로 삽을 들었다. 첫 삽을 뜬 것이다. 우리는 함께 시를 나누며 세상에 시의 꽃씨를 뿌리려 한다. 시작은 10명으로 미약했으나 시를 읽는 마을의 주민들이 백명, 천명이 참여하는 사화집을 성장할 것을 기대해 본다. 시가 무엇을 향해 가는지 좀더 분명해졌으면 좋겠다.

이제 작가들의 시적 성숙은 자신의 몫이다. 문학성을 높이는 것도, 독자를 불러 모으는 것도 작품으로 말해야 한다.

세상에 첫발을 내딛는 아이처럼 설렌다. 우리의 가슴에도 눈이 녹으면 봄이 올 것을 믿는다.

2023. 12. 25

시를 읽는 마을 촌장

강희창

볼프강희창 시인, 1960 충남 홍성 출생, 충남대학교 졸업,
한맥문학 등단, 한국공무원문학회회원, 동시문학회 회원,
27회 인터넷문학상 수상(2008),
공기업 은퇴(2020)

꽃이 전하는 말

꽃그늘에 구경 오실 때에는
사랑하는 사람 손잡고 오세요
환한 미소 귀에 걸고 오신다면
향기는 마음껏 부어드릴게요

화난 마음은 집에다 벗어놓고
뽀송한 얼굴로 다분다분 오세요
꽃 귀로 듣는 새들의 노랫소리
박자 놓칠까 봐 염려되거든요

꽃을 보는 그 마음도 꽃인걸요
가느다란 숨소리가 들리는지
눈으로만 듣고 만지지는 마시길
햇살이 놀라 달아날까 봐서요

꽃그늘에 구경 오실 때에는
깔깔대도 도란도란 낮은 톤으로

예쁜 얘기만 해주시면 안 될까요
저기요, 실은 태교 중이거든요.

풍경(風磬) 있는 풍경(風景)

바람이 풍경 안으로
우르르 몰려 들어갔지

뒤따라온 바람 몇이
물고기 배를 걷어찼어

땡,
땡그렁
바람은 까르르
풍경 밖으로 도망치고

모퉁잇돌에 앉아
졸던 애기 중
풍경소리에 놀라
머루눈을 하고
중얼중얼 불경을 외네

기다리던 다른 바람들
풍경 안으로 다시 들어가고……

그대 오시는 소리

그리워 임 기리는 산촌의 밤은 깊어
그림자 별빛 차는 소리 자꾸 들리니
길 잃고 더디 오실까 등을 끄지 못하네

오두막 외따로이 개켜 둔 마음이야
풀벌레 울음 멎고 가슴속 데워지니
그대가 아주 가까이 오시는 줄 알겠네.

쓸쓸히 오는 바람 그대의 소식인가,
산마루 고운 선이 살갑게 누워서는
뒤척여 잠 못 이루는 고즈넉한 밤

까마득 추억들은 별빛에 던져두고
두 번도 없는 듯이 이 마음 태우리니
고운 곳 골라 밟고서 다분다분 오소서.

사랑은 바람처럼 온다

몇몇 산을 돌아 정비된 대형으로
바람은 다음 도시를 향해 진격 중이다
시야에 들어온 목표는 그다지 크지는 않다
공격선까지 선두 속보, 철커덕 노리쇠 잠기는 소리,
가늠쇠 위에 도시의 심장부가 올려지는 순간
잠시 정적, 갑자기 목표가 흐리게 떤다
알아차린 걸까, 망설이는 걸까
동시다발로 당겨지는 가녀린 방아쇠
무수한 화살표가 심장을 향해 출발한다

당신의 가슴이 누군가의 가늠자 안에 갇힐 때
소스라칠 필요는 없다. 그땐 늦은 거니까
정조준된 순간, 그 순간
당신은 이미 당신 것이 아니다.

수퇘지

기다리다 조급증 나서 안달이네
뭐이 좋다 한들 오늘만 같을쏘냐
두 번째 신방 치르러 외출하는 날

숨이 탁탁 막히는 파밭 머리 돌아
발가락 사이 벼꽃 간지르는 논길로
흰 거품 입에 물고 꼬랑지 내돌리며

낄낄대는 낮달아 식식거리는 독구야
모를끼다 니들이 내 맘 우째 알것나
회초리 없이도 알아서 가는 신방길

뒤에 선 쥔장 넓데기 얼굴이 붉어지면
두렁콩 따던 각근 어무이 힐끔 히죽
냇둑에 황소 놈 암소 생각난 듯 씨익

운도 좋아, 오늘은 아조 재미가 있어

신발 벗어든 애들 졸랑졸랑 따라붙는
내일은 없는 없어도 되는 그런 날

할매와 참새

논길을 홀로 가는 꼬부랑 할매
걷다가는 쉬고
쉬다가는 걷고
보일 듯 말듯
안쓰러워 벼 이삭 흔들며
남풍이 따라갑니다
허리 펴고 쉴 때마다 낟가리 위로
불쑥 올라오는 허수아비 얼굴
햇볕이 따끔따끔 쏟아집니다

볼록한 가슴을 빗질하던 참새
온몸을 털며 진저리칩니다
물끄러미 보다가
갸우뚱갸우뚱
골똘히 생각에 잠깁니다
멍하니 딴생각도 해보다가
다시 할매 얼굴 쑥 내밀자

퍼뜩 떠올리는 원래 생각
미루나무가 일제히 떠듭니다

소금밭에서

세상에서 떠날 것은 모두 떠난다
하지만 떠난 것들의 바램은 요지부동이다
모진 날들을 녹여 각을 세우는 것이야
스스로를 빚는 일일진대 거듭 산다는 것은
흔들리던 기억들조차 아예 떨쳐 버리고
까마득 잊힌 나의 결정을 찾아가는 일이다
결정 전부를 던질 때 비로소 이뤄지는 바램
땀으로 온몸을 적시면 소낙비는 두렵지 않다
바람이 내 나이를 읽고 가는 소금밭에서
나약해진 뿌리를 파다 찾아낸 육면 처방전
신성하게 내린 이름을 더럽히지 않기 위해
긴히 간직해야 할 것은 짜게 절일 일.
잡것을 멀리하며 다시는 물렁해 지지 말 것

김 일 곤

전북 순창 출생. 순창고 졸업,
장로회신학대학 및 동대학원 졸업,
서강대학교 신학대학원 졸업
현 산들바람공동체 교회 담임목사
nanana153@hanmail.net

담쟁이

오를 수만 있으면 어디든 오르고,
넘을 수만 있으면 어디든 넘는다.
한뼘 한뼘의 간극으로 줄기를 벽에 붙이고서,
줄기에서 나온 덩굴손이 있어,
거기서 새롭게 출발하니 할만하다.

앞서 오르고 뒤에서 밀어주고,
하늘 높은 줄만 알았는데,
땅 넓은 줄 뒤늦게 알아,
두 팔 벌려 나란히 나란히.
길이다 싶으면 길을 내고,
길 아니다 싶으면 돌아서고.
낮이나 밤이나 힘닿는 대로 느리지만 단단히

거센 비바람도 견디어내고,
차가운 눈보라도 이겨내고.

부둥켜안고 서로를 아껴주면서, 한 몸 되어 살아가니.
담쟁이, 너의 힘을 그 무엇에 견주랴.
가을의 벽이란 큰 도화지에 한 폭의 아름다운 수채화를
그리고,
집 풍광의 운치를 한껏 돋우어 사람들의 발길을 멈추게
하니,
예술가 너의 정신을 그 무엇에 비하랴.

창가 강아지풀

산들산들 한들한들
도란도란 두런두런
하늬바람에 흔들리고
높새바람에 나부끼고
어제도 오늘도 늘 그 자리.

창가에 서성이며
창 너머 안으로 가끔은 주인살이 어떠한지 슬며시 넘보
고
창밖 푸른 하늘가 흘러가는 뭉게구름 무시로 쳐다보고
한여름 무더위도 한겨울 강추위도
그대의 결기를 꺾을 순 없었다오.

한없이 부드럽고 여리디여릴지라도
땅속 수염뿌리 깊게 내리며 견디고 버티는 심성을 지녔
기에

힘을 빼고 애쓰지 않고 자연에 제 몸 내맡길 줄 아는
지혜를 가졌기에.
한해살이 짧은 수명이나 동네 아이들 친구 되어
웃고 노래하고 춤추며 오늘을 행복하게 살아가기에.

사람의 크기는 사랑의 크기다

사람의 크기는 외모가 아니다.
그가 소유한 재력이 아니다.
그의 지위가 아니다 공적이 아니다.
사람의 크기는 심장, 사랑의 크기다

사람의 넓이는 체구가 아니다.
그가 사는 집의 평수가 아니다.
그가 다닌 여행의 나라가 아니다
사람의 넓이는 마음, 품의 넓이다

사람의 깊이는 나이가 아니다
그가 아는 지식의 범주가 아니다.
그가 경험한 인생의 폭이 아니다.
사람의 깊이는 영성, 지혜의 깊이다

사람 人

사람이 먼저이고
생명을 사랑하는 당신을 볼 때면
내 영혼이 노래하고 춤을 춥니다
거짓이 없고 진실을 추구하는 당신과 대화하면
마음의 빗장을 열고 내 속을 드러냅니다
사사롭지 않고 정의로운 당신을 대하노라면
손을 내밀어 당신의 손을 잡고 싶습니다
거침없이 바른말을 하는 당신을 마주하면
머리가 맑아지고 가슴이 설레입니다.
마음에 힘을 가진 당신을 만나면
나도 절로 힘이 납니다

진리 탐구에 몰두하고
영성의 깊이를 지닌 당신 앞에 서면
나는 머리를 숙이고 당신을 존경합니다
아름다운 자연 앞에 멈춰서서

꽃에 시선을 꽃의 향기에 얼굴을 내미는 당신은
내가 찾는 사람이고 동경하는 사람입니다
시대의 아픔에 공감하고
진리의 한길을 걷는 당신은
나의 착한 동지입니다
자기다운 모습의 당신이어서 소망이 생깁니다
평화를 위해 일하는 당신이기에 참으로 고맙습니다

자기로서 존재하는 사랑

산山이 지근 거리에 어른거려
산이 있는 방향으로 걷기 시작했다
산 가까이 가면 산 또한 내게로
가까이 올 줄 알았다
산은 저만치 내게서 더 멀어졌다.
산 정상을 오르고 산을 정복하겠다는
욕심이 걸림돌이었다

아름다운 너가 내 앞에 있어서
황급히 너에게로 달려갔다.
내가 가서 손 내밀면 너도 내게
우정의 손을 내밀 줄 알았다
너는 저만치 내게서 더 멀어졌다.
너를 내 것으로 삼고 소유하려는
집착이 장애물이었다

자연 그대로 철 따라 변모하는
산의 진풍경에 취해 넋을 잃고 산을 바라보니
산이 내 안으로 들어와 나의 길벗이 되었다.
너를 존중하고 귀히 여겨
있는 모습 그대로 춤추게 하니
너는 찬란한 빛을 발하고 자유로운 영혼이 되었다.
너는 너 나는 나 홀로 더불어
우리는 저마다 자기로서 존재하는 사랑이다

생명

출렁출렁 일렁인다
꿈틀꿈틀 일어난다
파릇파릇 솟아난다
느릿느릿 자라난다
넘실넘실 춤을 춘다
아장아장 나아간다
가물가물 피어난다
토실토실 맺어간다
방긋방긋 웃음 짓다

추억 追憶 souvenir

연인으로 부부로 가족으로 친구로 이웃으로
공동체를 살아가면서 오래 남는 건 추억이더라
뜨거운 가슴으로 진하게 사랑한 날들이더라
사랑의 수고를 아끼지 않은 행복한 시간이더라
사랑을 받고 자신이 너무도 귀한 존재임이
깨달아져서 세상 부럽지 않던 찰나이더라
순박한 어린아이 되어 울고 웃고
대지를 즐겁고 신나게 뛰놀던 그 순간이더라
블랙커피 한 잔 내려 마시면서
서로의 얼굴 보고 눈과 눈을 마주한 채
소소한 일상의 대화로 시작해서
마음속 소중한 꿈과 부끄러운 자기 민낯까지
밤새도록 진솔하게 대화하며
둘이 아닌 하나임을 경험한 어제이더라
그때의 기억을 떠올리고 추억을 공유하며
못다 한 사랑을 나누는 바로 우리들 현재의 삶이더라

추억 여행을 떠나고 천국의 기쁨을 맛보는
푸른 내일을 향한 청춘의 행진이더라

인생 결산

깨끗하고 진실하고 아름답게
단순하고 소박하고 검소하게
겸손하고 진지하고 성실하게
장엄하고 엄숙하고 위대하게
외로웁고 쓸쓸하고 초라하게
유유자적 허허롭고 가벼웁게

박수인

시인 시조 시인, 1998년 문학공간으로 등단

전문상담사, 전 세종시 연서중학교 상담교사

psi3024@naver.com

010-4027-9631

눈인사

밤 사이에 쌓인 기도의 고백들이
불씨 되어 타오르고
새벽어둠을 헤치고
먼 산이 깨어나면 나는 어김없이
마음길 길목에
그리움의 가로등 불을
켠다

꽃 화분들 어른대는
베란다 창문 너머로
아침이
가만가만 눈인사를 건네 온다

나도
맘 설레이며
눈인사를 보낸다.
너에게

풍경

바람에 물결치던
우리의 웃음소리

네 눈에 첨벙이던
풀빛 해도 기울었다

구름 새 비낀 햇살로
달아나는 이 저녁

해바라기　Ⅰ

그대는 고개 들고
여전히 나만 보네

똑바로 눈 맞추고
지긋이 날 흔드네

더러는
그대 눈빛에
눈먼 나를 풀어 줘

해바라기 Ⅱ

해 덮인 구름 아래
초조하게 기다리다

한없이 쳐다보며
그리움에 목이 휘면

입맞춤 눈에 선하여
바람결에 흔들린다

밤마다 가슴 안에
알알이 박힌 고백

고운 빛 따슨 볕에
까맣게 태우면서

오늘도 잎새를 떨며
휘인 목을 가눈다

꿈을 꾸다가

꿈결에 그댈 보니
그리움이 솟아올라

가만히 눈을 감고
생각을 털어가며

아무리 삼켜보아도
생목으로 올라오네

빗물에 헹구어도
가슴안에 남아 있을

그 모습 따라가다
먼 하늘 바라보면

바람이 두 손을 펴서
내 머리를 빗기네

이 가을에

메마른 바람으로
바삭이는 이 가을에
쓸쓸한 휘파람만
나직이 불며 간다
발밑에 밟히는 기억
가만가만 부수며

저 멀리 가지마다
별들이 걸려있어
여름날의 추억들을
하나하나 세어보네
아직도 못다 한 정은
모닥불로 사룬다

그대에게

내 안에
휴화산이
터지는 날입니다

솟구치는 그리움이
갈숲 위에
퍼집니다

내일은
돌산이 되어도
그대 곁에
설겁니다

눈이 내린다

눈이 내린다
하늘 가득
아득히 내린다

나는
내 마음의 창가에 걸터앉아
그리움을 그린다

창문에 부딪치며
사라지는 인삿말들에
귀 기울이며

눈이 내린다
싸아한 기다림 속에
빛나는 고요함

하염없이 나부끼는
너를 향한
내 마음의 노래

눈이 내린다
내 마음 가득
아득히 내린다

박 태 현

호 금아, 고려대 건설경영전문대학원(공학석사)

㈜지호보홀딩스 대표이사

010 2070 5749

相思花

어스름 저녁
고즈넉한 산사에
찬 이슬 내리고
깊어가는 가을의 한기는
섶 깃을 파고드는데
수줍은 그대는 정녕
무얼 그리 못잊어
붉게 물든 그 꽃잎 접지 못하고
어둠 속에서 사모의 한에
꽃시울 적셔가며
애닲은 손짓을 하려하는가
상사화여
상사화여
핏빛보다 진한
연모의 애처로움이
향기 되어 흩날리니

이 어둠마져도
차마
그대를 덮지 못하누나

때찔레(海棠花)

놀 빛에 붉게 물든
볼을 감추려
수줍게 늘어트린 때찔레

가녀리게 떨고 있는
선홍 열매는
섬소녀의 짝사모가
핏빛 그리움으로 영글어 맺힌
해풍에 밀려오는 애절함인가

보석처럼 빛나는 사곶해변에서
외롭게 구르며 울어대는
몽돌 해안의 조약돌 마다에
새겨 논 사연들이
행여 님에게 전해지려나

파도 소리는 텅 빈 가슴 후비는데
원망으로 즈믄 가슴은
가시돋힌 가지마다 붉은 꽃으로
멍울져 아롱진다

꽃동백길

삶이 걸어가는
어귀에 서서
해찰한 것도 아닌데
길섶 꽃동백에 취해서
그리움에 사무쳐서
곧장 가야 할 길
가지 못한 채
서성이며 방황한다
머뭇거린다

바람도 구름도 햇살마저도
숨죽이듯 멈춰버린 시방에
고독으로 단풍 물든
삶의 길 어귀에 서서
선홍빛 꽃동백에 취해
비틀거린다

邂

밤새 깊은 사연 안고
오롯이 맺힌 이슬이
황금빛 조양에
무심한 실바람에
님의 마음처럼
흔적도 없이 날아갈까 봐
애타는 조바심에
손깍지로 가려봅니다

멀어져 간 세월에
희미해져 버린 님에게
겨울비에 젖어 뒹구는 낙엽같이
비련에 부서져 버린
내 마음이 서러워
이제는 영영 오지 않을 님이건만
차마 기억마져 지워버릴 순 없어

미망의 눈물 맺은
그 이슬 고이 간직하고파
애타는 조바심에
손깍지로 가려봅니다

계절목

먼 산자락 그림자
길게 드리우고
골허리 감고 돌아온
강물 따라
긴 꼬리 늘어트린 채
짙어 가는 물빛 하늘

연모에 봉인된 그리움이
허공을 휘저어도
하마 닿을 수 없는
차마 잡을 수 없는
마지막 꽃잎 같은
계절의 깃자락이여

思戀

그대와 못다한 약속
남아 있어서
그대에게 못다한 말
쌓여 있어서
놓지 않으려
차마 보내지 않으려
길게 뻗어 보아도
속절없이 기약없이 그대는 가고
텅 빈 가슴으로
섧게 울었습니다

눈길 밟고 오신 님
배롱화가 채 지기도 전에
떠나가신 님
이제 막 꽃무릇 꽃술여문
구월의 길섶에서

가을은 피려하는데
텅 빈 가슴으로
두 번 울었습니다

먼 훗날

떠나려는가
이대로 영영
그대 떠나가는가.
돌아서면 저며 오는 내 가슴엔
퀭한 바람 몰아치는데

어둑해진 하늘에 떠 있는 낮달처럼
환히 웃던 그대
소리 없이 솟아나는 그리움이
붓꽃처럼 흔들릴 때

알알이 맺힌 심정
꽃잎에 적어 보내리니
먼 훗날
그 꽃잎 다시 필 때
행여 날인 줄 알아주오

굳은살

노지의 과일이 익어가면서
내리쬐는 햇살에도 상처가 나고
해변의 단단한 바위도
파도와 비바람에 깎여 나가는데
하물며 나약하기 그지없는
인간들은 어떠하랴

세상을 살면서 흠결 없는
완벽한 삶이란 어디 있을까
지적하는 손가락은 하나이지만
구부리고 있는 나머지 손가락은
나를 향하고 있다는 것을
늘 생각하며 살자

절규하는 지금의 상처는
아픈 속 살의 통점을 찌르지만

세월 지나 아문 상흔은
굳은살이 되어
성숙한 내면을 지켜 주리라
내가 흘리는 이 눈물이 마르고 나면
까만 어둠의 별이 되어
예쁜 소금꽃으로 피어나리다

시한1) 불멍

살을 에는 칼바람이
귓불 스치는 휘파람 소리에 놀라
피하듯 고개 숙이면
에덴동산의 생명 나무 지키는
천사의 무기 화염검이 불춤을 춘다.

등허리 바람에 담아 둔
시린 삶에 겨운
지스러기들을 내려놓고
멍하게 불염을 바라보고 있노라면
불식간에 육신을 벗어버리고
자유로운 젊은 날의 영혼이 되어
바람 결 사이로 헤쳐 나는 나비처럼
환상의 날갯짓으로
온 세상을 유혹한다.

---

1) 겨울을 일컫는 호남 방언

박 현 아

고려대 물리학과 졸업

서울에서

과학 교사로 근무

멍 1
　　　-바다

하늘이 눈물 눈물 떨어뜨린 날,
바다에 푸른 멍 자욱 새겼습니다.

너무 시려 시려,
네게 솟구쳐도 보지만

난 바다인 걸, 바다인 걸,

게처럼 옆으로 옆으로밖에
갈 수 없는 걸,
애써도 옆으로 옆으로 밖에
갈 수 없는 걸,

바위에는 시간의 흔적만이
까맣게 저미고

왜 저 바위가 말 없는지
왜 바닷물이 저린지
왜 바다가 더 시린지 아니?

파도가 자꾸 밀려와
찬 새벽에 잠이 깨었습니다.

멍 2
 - 비닐우산

손에 쥐어지면 학교 가기 싫던 날,
파란 비닐우산

무겁게 걷어 올린 청바지.
푸르게 시든 김치 반찬.
학교 가기 싫던 날

앞서가는 빨간 우산 뒤에서
축 처져 삐져나온 빨간 내복 몰래 시린 날.

하늘도 파랗지 않던 날
혼자 퍼런 날
붉어진 공책 배고프게 꺼낸 날

멍 3

- flute, 파

푸른 피리 속에서
하얀 울음 보드라이-
네 보랏빛 멍은 누구의 입자욱이니

누가

종일 서 있는 나무에게
누가 의자를 주고 갔을까

엄마 젖을 먹고 있는 아기 풀에게
누가 가스통을 물리고 갔을까

이 다 빠져 늙은 갈대에게
누가 시린 냉장고를 안겨 주고 갔을까

종일 하늘 보는 냇물에게
TV는 누가 준 걸까

누구 얼굴 오목히 담아 두고 간 걸까

전봇대
　　　　－ 常白樹

푸른 빛 하나 없이
허연 잎만 덕지덕지
무얼 찾니, 구함, 구함, 구함…

푸른 하늘로 뻗치는 가지 대신
짧다란 못만 뚝, 뚝
핏기 없이 창백한 얼굴로

오늘도 백수들은 네 잎들을
의심스러이 쳐다보는데

그래도
새들과 강아지와 아이들은
나무처럼－
안아주고 기대는구나.

전봇대 2
　　　 - 새가 찾아와

하늘 한번 올려 보세요.
전기 줄 몇 가닥 늘어진 바로 아래.
가만, 가만-

음표들이 날라와 사뿐사뿐 내려앉으면,

파란 악보.
노래하는 악보,
행진하는 악보

그럼 난,
아까부터 땅 위에 떨어진,
긴 쉼표 하나

할머니

눈이 다 덮어버리고 조용합니다.

가만,
마른 풀이 비죽비죽

어떻게 스러지지 않았나요

바짝 말라 하늘빛 하나 없는데

아,
속이 텅텅

해산

언니는 열 달 배 아파
얘기하나

난 열 달 가슴 아파
시 하나

언니는 애기가 날 닮았다 하고
나는 시가 언니를 닮았다 하고.

장미

한 번 안아줄 걸,
꼭 안아줄 걸,

네 가시에 찔릴까 봐

한 번 안아줄 걸,
그 피가 너처럼
보드란 향 낼지도 모르는데
것도 모르고

한 번 안아줄 걸
어차피 이리 아픈데
것도 모르고
모르고

모르고 한 번 안아줄 걸
꼭.
콕.

나의 시계

아지랑이 날갯짓하면,
나도 데려가
막 깨어난 애벌레, 떼를 쓰다가

배짱 두둑한 배짱이 되어
여름 한 철 배고픈 것도 모르다가

비에 쫄딱 젖어 에취- 하다가,

하늘이 너무 높아
햇볕이 너무 따가워
낙엽 타고 어디론가 꼭꼭 숨어 버리겠지.

눈이 와서 하얗게 하얗게 덮어주겠지 하고
시원한 돌덩이 베개 삼아 까만 겨울잠 자겠지.

착각 착각,
착각 착각 착각 착각,
그렇게 내 시계는 돌아가겠지.

너무 찬물 끼얹지는 마,
방수가 잘 안 되더라.

석 병 오

시인. 경남 밀양 출신, 경남 김해 거주
시 창작 교실 회원,
『문학과 예술』 제2집 신인문학상 등단

밴댕이 소갈딱지

시린 가슴 삭풍을 삼키듯
섭섭함에 밉살스러운 외면

마음이 왜 이럴까.
조금 서원함에도 마음 상하고
가슴에 꽁한 뿔 하나 생겨났나.

그냥 둥글게 둥글게 손해 보는 듯
살면 될 것을
살다 머무는 곳이 인생의 종착역인데

뭐가 그리 섭섭한 가슴이
많다고 꼭 이기려고 하는가
나이 먹을수록 더 넓은
가슴을 품어가지 밴댕이 소갈딱지

삶이 실핏줄 타고 머리의 생각이

가슴에 내릴 때도 쿨하게 살자
품을 수 있은 만큼.

부질없는 아집을 내려놓으면
어느 순간 세상이 아름답고
마음 또 한 가볍고 편해지리라.

속 깊은 마음

잠든 아내 얼굴 바라보니
주름살 가득 애처롭고 안쓰럽다
가끔 들숨 때 숨 멎으면
가슴 철렁 내려앉고

꽃 피고 화창한 날
나들이 갈 줄 몰랐을까
명품 옷 가방 몰라서 못 샀을까

흐드러지게 꽃 핀 날
꽃놀이 유혹에도
그냥 덤덤하게 다른 세상 이야기

세월의 길목마다 허리끈 졸라매고
삶의 고비마다 억세게 버틴 삶
남은 인생 편하게 살 것인데

역시나 허리끈 동여맬.

입술 질끈 깨물며 힘겹게 살아온
그 깊이를 이제야 조금 알 것 같아
괜스레 가슴속에
멍울진 파문 하나 일렁인다

가을에는

한 시절 그렇게 하늘이 불타올랐는데
이제 햇살이 나락으로 조금씩
떨어져 점점 이별의 뒤안길에 서 있습니다

가을의 문턱에서 여름 꼬리를 잡고
더워는 아직 안간힘으로 버티지만

벌써 제법 시원한 바람은
목을 쭉 빼고 고갯마루에서
가을 마중을 나와 있습니다

여름에게 작별 인사도 못 했는데
아니 태풍과 장맛비의 원망도 하소연도 남았는데.

고추잠자리 하늘 높게 춤추며
코스모스 한들한들 향기 품고

온갖 풍성한 과일들이 영글어 가는

가을은 황금빛 찬란한
선물을 가지고 우리 곁으로
성큼 다가옵니다

신선한 바람의 미소
비밀스러운 눈짓으로 양파 껍질처럼
하나하나 가을의 속내를 풀어

부디 이 가을 고독하지 말고
세월의 바구니 속 젖은 노을
한 자락 즐기기만 할 수 있길.

향기로운 연꽃

청아한 자태로 하늘을 올려 보며
세상의 허물을 다 품어내고
깊숙한 내면에 노란 머리 풀어 높인다

햇살에 이슬 수줍게 머금고
분홍빛은 더 분홍으로 빛나고
순백은 더 순백으로 미소 머금고
해맑게 웃고 있는 동자승 같은
순수한 자태

먹구름 장맛비 얄궂게 쏟아지는 날도
체념한 듯 온 몸짓으로 유유히
빗물을 다 받아 포응하는 가냘픈
떨림의 네가 더 향기롭다

은은한 먼 그리움 품고
피어나는 기약 없는 약속이라 해도

너 아닌 누가 그 순결을 피어 올까
향기 머금은 너는 꽃 중의 꽃
초여름의 약속이다

함께하는 인생

불타는 그리움이 아닐지라도
가끔은 안부를 묻고
어떻게 사는지
은근히 마음 나눠주는 사람

언제나 변함없는 모습으로
함께 삶을 공유하고 내면에서
마음의 손을 잡아주는 사람

삶을 등댓불처럼 밝혀주며
먼 인생 행로 길 서로가 서로에게
의지하고픈 사람

살아온 날의 행복 더하기 살아갈
날의 행복을 소망하는
가슴 뜨거운 사람

가끔은 섭섭하고 볼품없는 매력에도
또 다른 벗을 사귈 가슴이 아니라서
너 아니면 안 될 사람
우린 명품 친구

깊어가는 풍경

새벽 창틈으로 스며드는 냉기
세월의 흐름을 속일 수도 잡을
수도 없는가 보다

등줄기를 타고 내리는 서늘함
몸은 점점 움츠러들고
허허로울 만큼 횡 한
찬 서리가 마음을 타고 내려

계절의 숨결에 이삭을 줍고
그리움에 단풍잎 쌓인 오솔길
살포시 미소 머금고 즐길.

잔잔한 호수에 낙엽 몇 잎 떠 있고
갈대밭 은빛 날개 머리 풀어
한들한들 너울 춤추고

점점 깊어가는 풍경 속에
시간은 세월이 되어 익고
빨갛게 멍울진 마음에도
홍시처럼 가을 풍경이 익어가네

먼 그리움

세월의 흔적 따라
꿈속 정원의 뜰에서
님 향기 코끝에 머물고

그립다 눈물 지우면
더 그리워 아파질까
달빛 흐르는 아픔에
미소 짓는다

긴 꿈속 님 향기 따라
노닐다가 흑 눈뜨니
까만 그리움 눈물 한 방울

시간의 강을 건너
행복한 지난 세월을
어찌 그립다 말하리오

차마 그립다 말 못 하고
다시 접어 가슴속 깊이
고이 간직합니다

그대를 위해

은하수 내리는 언덕에서
그대의 손을 잡고
행복을 노래하고 싶어요

슬픈 날에는 비가 되어
그대 가슴에 스며들고
추운 날에는 따뜻한 이불이 되어
감싸주고 싶어요

언제나 가슴 깊숙이
그대를 채워 고운 사랑 새겨 놓고
간직하고 싶어요

행여 쓸쓸하고 외로운 날에는
세상을 다 품어도 모자랄
뜨거운 가슴으로
그대를 꼭 안아주고 싶어요

생각 저편에

녹일 듯 뜨겁게 쏟아낸 열기는
서서히 식어가고
가을빛 햇살에도 시린 가슴
다독여주는 바람 한 자락 놓고

늘 익숙한 그 오솔길 따라
환한 미소에 손짓하며
나지막이 숲속에 쉼터 하나

생각 저편에는 언제나
나누어줄 너그러움이 있고
삶을 위로해 주는
따듯한 마음 한 줌 있듯

어설프게 붉은 낙엽 바람에
흩어져 날리는 날에
손잡아 주는 정겨운 사연 담아

미소처럼 아름다운 가을
이야기에 머물다 간다

신진철

시인. 1963년 구리시 출생
가난한 삶일망정 욕심부리지 않으려는 농민같이 부대끼
며 사는 게 최고라고 아직도 믿고 사는 공동체주의자.
시집『점심엔 국수나』, 심심한 책방. 2023
010 6328 4152
충북 제천시 덕산면 삼전로 103-17

물방개의 내력

골짜기 돌 틈을 휘도는
버들치 꼬리가 너무 이뻤어

물속으로 뛰어 들어갔지만
벌써 버들치는 꼬리를 감추고
돌에 붙어있던 올갱이는
깜짝 놀라 돌에서 굴러떨어졌지

덩달아 놀라 두리번대는데
치근덕대는 건 작작 좀 하라고
물 위에선 소금쟁이 킥킥킥

들어와 보니 물속 시원하네
앞으론 여기서 살아 봐야겠어

그래서 방개는
물방개가 됐대나 뭐래나

소금쟁이

물속으로 가고 싶지만
물 위에서만 통통통

올챙이랑 송사리들은
즈덜끼리만 놀고

난 끼워주지 않으니
물 위에서만 통통통

하늘 위을 날고 싶지만
물 위에서만 깡총총

잠자리랑 벌 나비들은
즈덜끼리만 놀고

넌 따로 놀라 하니
물 위에서만 깡총총

사랑? 그게 뭐?

받는 것이 아니라면
주는 것도 아니겠지

사랑은 하는 것

그리워하고 보고파 하고
애달파하고 외로워하고
그러다가는 슬퍼하고
어쩌다가는 기뻐하고

너는 어떻든 나는

초겨울 산국

훌훌 털고 가지 못한 끝
된서리를 홈빡 뒤집어쓰고
다가오는 겨울 바라보며
온몸을 떨어 대는구나.

내 바램은 이게 아니었는데
따스한 가을볕 받으며
벌과 나비와 사랑하려 했는데
어쩌다 이렇게 되었을까.

모두 다 지고 없어
겨울바람에 모두 갔어
소스라치는 산국 송이
꽃은 하염없이 눈물만 뚝뚝

졸졸 흐르며 위로하는 개울물

마지막 남은 한낮의 별 부스러기
끌어모아 덮어 보려 해도
사랑의 손길은 이미 가고 없으니

지렁이 몸짓

1

정부가 수매하는 쌀값이
팔십 킬로 한 가마에 이십만 원

참으로 모질고 가혹하게 짓밟는구나
어쩌랴 꿈틀거리기라도 해야지

모레는 무슨 일 있어도 서울 가서
목이 터져라 데모라두 해야겠다

느이만 사람이냐 농민들도 사람이다
이 잡것들아, 작작 좀 밟아대라

2

무엇이 두려워 꿈지럭도 못할까
빼앗길 것도 더 이상 없으면서

데모해 봤자 되는 것 하나도 없다고
짓밟혀도 꿈틀거리지도 않겠다면

지렁이가 차라리 너보다 낫다
지렁이를 모독하지 마라

빈집 앞에서

　　　　　1
여름 그 많던 벌레들은
다 어디로 가버렸을까

왕자골 개천가엔 바람 소리랑
물소리만 남아서 솨르르 촐촐

모두 떠난 지 오랜 빈집엔
이젠 궁기만 지르르 흐르고

대낮 집 앞 빈 뜨락엔
갈 곳 없는 유령들만 어슬렁

　　　　　2
나는 이제 다 되었으니
이제는 네 시간이 되었다고
비쩍 마른 쑥대는 바람에 흔들

오후 햇살 아래서도 찬 바람은 불고
겨울의 날은 정처 없이 흘러가지

다시 오지 않을 시간과 사람들
이젠 기억마저 희미해진 그 사람들
공간과 기억들 사랑과 이별의 아픔
소주 한 잔의 달콤함과 역겨운 말들
남아 있는 건 이 몸 하나뿐인데
그 조차도 이제 삭아들고 낡아가는데

3

그래 때가 되긴 했지
벌써 얼마나 지났는데 아직도 남았을까
바다로 흘러가
이미 깊은 속에 가라앉은 지 언젠데
아직도 그때를 잊지 못한다 말이냐

그 어느 날처럼 바람 흘러가고
그때처럼 눈물도 흘러가지만
이젠 다 지나간 일이야

100 시를 읽는 마을

그러니 이젠 나도 자리에서 일어나겠어
아무려나 너는 네가 알아서 하겠지

                    4
다 삭아 들어 어서 잠들어야 하는데
미련 따윈 집어 버리라구
미적대는 귀신들이라도 잠들 수 있게
빨리 잊혀졌으면 좋겠지만

아직도 유령들과 함께 서성대는 몸짓
몸짓에 딸린 그 너저분한 욕심
조바심에 안달해 봐도
떨어지지 않고 있으니 우리는
언제나 영원히 잠들 수 있을까

늦가을 녘

1

봄은 상냥하고
여름은 질척대고
가을은 명랑하고
겨울은 깍쟁이

아직은 명랑할 때
들판은 배부를 때
앞산은 아름답지만
금방 추워질 텐데

남은 세월은 춥게
모진 바람에 눈보라
모두 얼어붙을 텐데
어찌 살아갈거나

2

그래도 냇물 졸졸졸
가을 오후 바람 솔솔
모기 날갯짓만 한 노랫소리

걷는 거참 좋지
아무 생각 없이 이십여 리
낙엽도 바스락 밟히고

아직은 따가운 볕
나무 그늘은 구멍 숭숭
걱정일랑은 접어두고

오늘도 걸었다마는
정처 없는 삶의 발길
머물 곳, 기다리는 이에게

오후 세 시께 조금 넘어
해는 다시 설핏해지고
또 하루 그럭저럭 살아지고

남은 길 조금만 더 걷자
한 십 리 정도 되려나
시오리 정도는 되려나

최 상 만

시인. 호 송풍. 계간지 문학과현실 신인문학상 수상으로
시부분 등단. 현재 문학과현실 작가회 회장, 한국문인협
회 회원. 페이스북『시를 읽는 마을』그룹 운영
시집『꽃은 꽃으로 말한다』,『이쯤만 그리워할 수 있어도』,
『당신인 줄 알았습니다』,『어두원야만 보이는 것이 있다』
시선집 Ⅰ『조팝나무는 저 혼자 꽃 피우지 않는다』. 시선
집 Ⅱ『꽃은 자신을 위해 향기를 만들지 않는다』가 있다.

월세

산새들 숲속에
세 들어 산다.
별들은 하늘에
고래는 바다에
세 들어 산다.
나도 세 들어 산다.
산새 소리, 물소리
들려 오는 골짜기
이 한 몸
누일 수 있는 오두막에
스스로
빛나는 별나라에
잠시
세 들어 산다.

노란망태버섯

망태 속에 가둔 것은
자기 자신이었다.
속박에서 벗어날 수 없는
운명
노란망태버섯의 삶처럼
자신에 삶을 옥죄는 것은
다름 아닌
나 자신이었다.

용대리

낙엽 진 채로 한겨울 견디는 것은
추위를 이겨낸 나뭇가지만이
꽃눈 틔울 수 있는 것처럼
알몸인 채로 한겨울 견디는 것은
찬바람에 얼고 녹는 고통 참아내야,
황태가 될 수 있다는 기대 때문이었으리라.
명태는 덕에 매달려 강풍에 흔들리고,
꽁꽁 언 채로 폭설에도 묻히는 것은
용대리의 바람은 거친 숨소리 죽여가며
덕장을 저 혼자 흔드는 것은
강물이 바다에 닿으려 여울도 지나고
폭포에서 떨어져 부서지듯이
용대리의 강물도 얼음장 밑으로
깊은 한숨 참아내며 저 혼자 흐르는 것은
황태의 꿈 때문이었으리라.

우리는 모두

당신은
도와줄 수 있는 마음을
감추고 살지는 않았는지.

당신은
나눌 수 있는 두 손을
뒷짐 지고 살지는 않았는지

당신은 칭찬하는 입을,
예쁜 소리 듣는 귀를
닫고 살지는 않았는지.

우리는 모두 웃어주는 두 눈을
따뜻하게 안아주는 가슴을
비바람 막아 줄 수 있는 우산을
감추고 사는 것은 아닌지.

당신처럼

당신이 보는 것을
같이 보고 싶어요.
같은 것을 보아도
서로 다른 것을 보는 것 같아
당신의 눈으로 보고 싶어요.

당신이 느끼는 것을
같이 느끼고 싶어요.
같은 것을 만져도
서로 다른 것을 만지는 것 같아
당신의 손끝으로 느끼고 싶어요.

당신이 듣고 생각하는 것을
함께 듣고,
같은 생각 하고 싶어요.
나는 아침저녁 사랑을 생각하는데,
당신도 그러나요.

꽃비

벚꽃잎 흩날리다
입술을 살짝 스치네.

벚꽃잎 바라보다가
괜스레 얼굴만 붉어졌네

장미

장미에
다른 이름을 붙인다 해도
다른 이름으로 불리는
그 꽃은
그 모습 그대로인 것을
그대로 빛난다는 것을

장미는 장미라서
아름다운 게 아니다.
자신의 빛깔로
피어나기에
아름다운 것이다.

다름 아닌
너라서 아름다운 것이다.

젖은 꿈도

별빛보다 더
반짝이지 마세요.
고독보다 더
슬퍼하지 마세요.
바람보다 먼저
떠나지 마세요.
갈대보다 먼저
눕지 마세요.
마른 눈물보다 더
아프지 마세요.

젖은 꿈도
계절이 지나고 나면
좀더 깊어지겠지요.

말해줄래

아프면 아프다고
말해줄래.
네가 말해주지 않으면
네가 아픈걸
아무도 몰라.
네가 말해주지 않으면
너무 늦을지도 몰라.

슬프면 슬프다고
말해줄래.
네가 말해주지 않으면
네가 슬픈걸
아무도 몰라.
네가 눈으로 말하는 걸
누군가는 이해하지 못하거든

최석종

시인. 호은. 1963년 부산 출생,
문학시선 인도박물관 주체 타고르공모전 우수상 수상, 문
학시선 윤동주 공모전 우수 작품상 수상, 공인인증 시 초
록물결 3~9집 등 계간지 다수 참여
부산 동래구 명장로 85 영화아파트 507호

섬진강

땅의 정기와 숲의 혼이 층이 되면
천상봉에는
상추 막이 골 데미샘 젖줄이 흘러내린다

전라도와 경상도를 아우르는
오백 리 강은
실핏줄로 뻗어내려
이름 없는 땅
샛강이 생명이 되고
은빛 새우 둠벙의 살집이 된다

먼 길을 가는 나그네여
섬진강을 지나가라
협곡은 제 살을 떼어내어
강에 나눠주고
그 살 채운 재첩이

생명의 꺼리로 주는
관용은 반짝이고
동자개는 원을 그린다

시간이 멈춘 곳에서
마지막 남은 행운이 그대에게 나뉘는
섬진강은 노을의 격정이라
꼭 만나라
어머니의 젖가슴인 그 강을

이슬

어둠이 세상을 덮으면
햇살 아래 감춰진 은밀한 욕망이 깨어나고

쾌락을 갈망하는 마성의 독은
안개처럼 모여들어
더 강한 자극만 갈망하지만

붉은 달이 뜨고
거미가 집을 지으면
무당벌레 풀잎 위를 걸어가고
숲속 요정이 독을 정제합니다

달이 잠들고 요정도 잠들어
사랑을 품고 햇귀를 맞이하는
나는 이슬입니다.

틈새에 핀 민들레

아가를 둘러업은 아낙네가
길바닥에 뒹구는 소쿠리를 주워서
건물 한쪽 틈새에 좌판을 다시 폅니다

멱살 잡힌 아픔을 뒤로하고
빨간 토마토 향긋한 봄 오렌지 진열하느라
송골송골 땀이 맺히고 들숨날숨 힘겹기만 합니다

자판 위 빈자리가 늘어날수록
틈새에 웃음꽃이 피지만 배는 점점 고파 옵니다
빗면에 서성이던 네온사인이 립스틱 짙게 바르면
남정네의 발걸음도 빨라집니다

젖동냥 다녀온 아가는 그루잠 자다가
꿈결 같은 속삭임에 방그레 웃고 있네요
아빠 좋아지고 있어 조금만 더 좋아지면
웃으면서 달려올 거야

화음

피아노 선은 마법이다
장조에는 생명이 매달렸고
단조에는 영혼이 여울지고
음계에는 얼굴이
사이사이 행간마다
마음이 있다

건반을 두드리면
낮은음이 높은음을 끌어내고
소리가 소리를 이끌고
들녘에 나가면

나비춤은 나풀나풀 가벼워
풀꽃들도 쫑긋쫑긋 환호하는
기쁜 마음은 더 기쁘게
피아노에는 그런 마법이 있다

말간 햇살을 소리로 그려 낼 때
능선을 오르는 바람이 시어를 쏟아내고
여울을 도는 물이 화음을 넣으면
안단테 안단테2)
사랑 안에 하나 될 시간이다

---

2) 느리게 음표

돌담

황령산 달이 내려와
행운을 품은 꽃이 피고
소금쟁이의 시간 바람의 길이 될 때

자유로운 영혼이 되어 세상 구경하다
당신과 나 사이에 작은 비밀이 있어
담이 있어야 한다면

희지도 검지도 않은 것처럼
가시를 심어 상처를 주지 말고
찰랑거리는 머릿결 풍성한 젖가슴을 볼 수 있도록

구멍이 숭숭 뚫려
자유롭게 드나들 수 있는
낮은 돌담이었으면 좋겠습니다

여로

천년의 사연들이 성곽을 쌓고
어제는 없었고 내일은 오지 않을
바람이 광야를 건널 때

아침에 피고 저녁에 지는 그림자에
부귀와 공명은 바람과 같아
장신구는 무거울 뿐

밤새 부른 그리움이 거미줄에 걸리고
태양이 바람을 데려와 꽃을 피우면
말라가는 홈 채기 하늘을 품을 수 있어

사랑 은행에 빌린 사랑이 많아 가난하지만
뫼비우스 띠 혼돈의 공간에 집을 짓고
오늘도 사랑 나무를 심으면

생명은 죽어 안식을 얻고
죽음은 새 생명을 잉태하는 여정 속에
이승의 삶은 나린의 축복이다

홈 채기 ~웅덩이를 뜻하는 북한말
나린~ 하늘이 내린

사모곡

온갖 설움 삼키고
아픔을 머금은 마른 몸뚱이
한 자락 삼베 휘감고 하늘 가는 길

산사의 풍경소리 능선을 울리고
시간이 멈춘 곳에서 그리움이 찾아들어
달을 매달고 커피를 내립니다

반 짐 고리 골무 울음소리에
귀밑에 묵은 서리 내리면
나목이 눈물 꽃을 피우고

황령산 달이
정한 수 놓았던 장독대에 내려올 때
삐걱이는 당신의 무릎 소리 들립니다

그림자 소고

햇살 없이 살아갈 수 없지만
한 줌 햇살 앞도 바로 설 수 없어
뒤란으로 숨은 단벌 신사

쉴 새 없이 웃자라는 콘크리트 숲
함께 자랄 수 없는 상처를 안고

햇살이 사라진 사이 으스름달 가까이
어둔 구석마다 햇살 알갱이 구슬로 꿰보다
검게 그을은 울음 토해내는
너는 억눌린 나의 분신

억만년 세월 묵언 수행에서도
하루에 단 한 번 지는 해 아래
침묵을 깨는 황홀한 노을은
종일 받은 축복을 그려내는
너만의 언어

황의종

목사. 총신대 신학대학원 졸업.

현 새장학교회 목사

010 2553 0691

예초기

코를 찌르는 풀내음은
허리 잘린 풀들의 아우성

요란한 기계음에
들풀이 떤다.

산책로 양편에
널부러진 야초의 잔재들

너희들이 무슨 죄를 지었기에
명을 다하지 못하고 누웠느냐

꽃 피우고 씨앗 퍼트려 말랐더라면
내 마음이 푸근했을 것을

　　　　-2013년 여름 어느 날 낙동강 고수부지에서

初老

慾口冷腸溫

飮冷乳咖啡

狂胃腸大亂

捨諸物食飮

입은 찬 것을 장은 더운 것을 원했는데
찬 우유와 커피를 마셨네
위장에 대란이 미친 듯 일어나
먹고 마신 모든 것을 버렸네

석양

매일 변모하는
석양의 다채로움

화가가 묘사하지 못하고
음악가가 연주할 수 없고
시인이 묘사할 언어가 없어
마음에만 담아야 하는
자연의 조화

그것은
조물주의 창조
전능자의 작품

생의 가치

온 세상을 움켜쥐고
포효하며 나왔는데

세상이
환호하다가
맞서더니
제압하려 드네,

왕이 되었다가
무사가 되었다가
패잔병이 되어
빈손으로 돌아가리.
拙稿들에서
님의 향기 맡을 수 있다면
위에서 미소 지으시리니
그 품에 안겨 세마포 눈물로 적시리.

문경새재

붉게 홍조 띤 주흘산
오백여 년 전 조령의 세 관문
천험의 요새를
화살 한 대 쓰지 않고 내어준 분노인가?

지난날
과객들이 두려워 떨던
산적들의 은신처였던 민망함인가?

봄부터 가꿔온
핏빛 속살 내비치는
개울 곁 단풍 자락이
눈에 가득 황홀하다.

이제 우리가 물들 차례이다. 시에

시인 최 상 만

처음에 페이북에 그룹 『시를 읽는 마을』을 개설하면서 백여 명이나 오면 그분들과 함께 좋아하는 시를 나누고자 했던 공간이었다. 그런 공간이 어느덧 9,500명이 넘는 거대한 공간이 되었다. 시를 사랑하는 사람들이 이렇게 많을 줄 몰랐다.

이런 상황에서 회원들이 시를 써도 어디에 발표할 기회를 갖지 못한다. 수없는 잡지들이 시인들을 양산해 내지만 그들만의 리그에 머무는 것을 본다.

그래서 우리도 우리의 판을 깔아 보자는 의도로 회원들을 위한 사화집을 출판할 계획을 했다. 2022년 추진했지만 참여하는 시인이 적어 실패로 돌아갔다.

2023년 다시 우리들의 작품집을 만들어 보자고 공지했을 때, 10여 명이 참여를 희망했다. 희망이 보인 것이다. 이제 『시를 읽는 마을』의 첫 사화집인 "이제 우리가 빛날 차례이다"를 발간하게 되었다.

여기 실린 작품들은 등단한 시인의 감성도 담겨 있지만 처음 펜을 든 작가의 감성도 담겨 있다. 이런 시를 누군가 읽어 준다면 감사하고 고마울 뿐이다. 시가 읽히지 않는 시대에 시를 쓰는 어리석음은 누군가에게 한 줄기 빛이 되기를 바라는 마음에서일 것이다.

다만 우리의 열정만큼이나 독자가 열정으로 다가와 주기를 바란다. 그러기 위해 우리는 더 갈고 닦아야 한다.

시는 누구나 쓸 수 있지만, 누구나 좋은 시를 쓸 수는 없다. 좋은 시는 잘된 시이고, 잘된 시는 누군가의 마음에 스며들어 울림을 줄 수 있는 시이고, 울림을 주는 시는 쉽게 독자에게 다가갈 수 있는 시이다.

이제 우리가 세상에 던져 놓은 시들은 이리저리 인쇄된 활자로 세상을 떠돌며 수많은 사람을 만날 수도 있지만, 누군가의 식탁에 냄비 받침대로 쓰이는 대우를 받을 수도 있다는 걸 명심해야 한다.

내가 쓴 시가 냄비 받침 대우를 받지 않게 하려면 언어의 바다에 떠 있는 시어 하나 건져 올리기 위해 밤잠 설치며 고뇌의 시간 속에서 시어를 낚시질해야 할 것이다.

좋은 시는 대상과의 세밀한 만남을 통해, 따뜻한 대화를 통해 얻어진다. 낯선 곳에 대한 동경과 여행을 통해 시심이 싹을 틔울 수도 있다.

시인의 임무는 누군가 쓰고 싶었던 내면의 시적 정서를 대신 써 주는 것이 아닐까. 독자가 그 시를 읽고 나도 이런 감성이 들었었는데 하면서 공감하고, 잔잔한 울림을 주는 시를 쓰는 것이 시인이 해야 할 몫이라고 생각한다.

우리나라에서 대학생들이 가장 많이 읽는다는 도종환 시인의 '담쟁이'이를 읽으면 얼마나 용기가 생기는가.

저것은 벽,

어쩔 수 없는 벽이라고 우리가 느낄 때

그때 담쟁이는 말없이 그 벽을 오른다.

물 한 방울 없고 씨앗 한 톨 살아남을 수 없는

저것은 절망의 벽이라고 말할 때

담쟁이는 서두르지 않고 앞으로 나아간다.

한 뼘이라도 꼭 여럿이 함께 손을 잡고 올라간다.

푸르게 절망을 다 덮을 때까지

바로 그 절망을 잡고 놓지 않는다

저것은 넘을 수 없는 벽이라고

고개를 떨구고 있을 때

담쟁이 잎 하나는 담쟁이 잎 수천 개를 이끌고

결국 그 벽을 넘는다

　　　　-'담쟁이' 전문

한번 쯤 어렵지 않았던 사람이 있으랴. 시대적 현실 속에서 고통을 겪고 청년들은 '담쟁이'를 읽으면 위로가 되고, 고통을 이겨낼 수 있을 것 같은 마음이 들었을 것이다. 어렵고 힘든 청년들에게 용기를 주는 시는 얼마나 아름다운가.

누군가의 아픔은 누군가에게 희망을 주기도 한다. 시가 그래야 하지 않을까. 우리 작가들 마음속에 나도 이런 시 한 편은 쓸 거라는 다짐을 갖고 있어야 한다. 그래야 더 좋은 시, 잘된 시를 쓰게 될 것이다.

우리나라 게시용으로 가장 많이 사용되는 시, 나태주 시인의 시를 보자.

자세히 보아야 예쁘다.

오래 보아야 사랑스럽다.

너도 그렇다.

　　　　　　- '풀꽃' 전문

이름을 알고 나면

이웃이 되고

색깔을 알게 되면

친구가 되고

모양까지 알고 나면

연인이 된다.

아, 이것은 비밀.

　　　　　　- '풀꽃 2' 전문

시는 독자의 가슴에 머물면 그것으로 시의 역할을 다한 것이다. 시가 독자를 찾는 것이 아니라 독자가 시를 찾으면 되는 것이다. 나태주 시인의 시에는 어려움이 없다. 어린아이 같은 순수함이 있다. 읽는 사람마다 잔잔한 울림을 느낀다. 우리의 시가 가야 할 방향이다.

정호승의 시에서 우리의 방향성을 엿볼 수 있다.

길이 끝나는 곳에 산이 있었다.

산이 끝나는 곳에 길이 있었다.

다시 길이 끝나는 곳에 산이 있었다.

산이 끝나는 곳에 네가 있었다.

무릎과 무릎 사이에 얼굴을 묻고 울고 있었다.

미안하다

너를 사랑해서 미안하다.

-'미안하다' 전문

울지 마라

외로우니까 사람이다.

살아간다는 것은 외로움을 견디는 일이다.

공연히 오지 않는 전화를 기다리지 마라

눈이 오면 눈길을 걸어가고

비가 오면 빗길을 걸어가라

갈대숲에서 가슴 검은 도요새도 너를 보고 있다

가끔은 하느님도 외로워서 눈물을 흘리신다

새들이 나뭇가지에 앉아 있는 것도 외로움 때문이다.

산 그림자도 외로워서 하루에 한 번씩 마을로 내려온다.

종소리도 외로워서 울려 퍼진다.

　　　　　－ '수선화에게' 전문

　우리는 사랑해서 미안한 적이 한두 번이었던가. 정호승 시인은 나의 감정을 '미안하다'에서 대신 표현해 주고 있었던 것이다. 내가 널 사랑해서 미안하다. 사랑해서 미안해 본 사람의 가슴속에서 이 시는 얼마나 큰 울림을 주는가.

외로워서 얼마나 많은 밤을 지새웠던가. 외로울 때 바라보는 모든 사물은 얼마나 외로운가. 외로울 때는 흐르는 냇물조차 외로움을 적시지 않던가. 세상에 외롭지 않은 사람이 있는가. 외로운 사람은 모두 수선화가 되는 것이다.

시가 읽히지 않는 시대에 시인이 넘쳐나고 있다. 아이러니가 아닐 수 없다. 흐르는 물은 사슴의 입술에 머물지 않는다. 우리는 계속 흘러야 한다. 개인의 경험과 시적 정서를 시적 형상화를 통해 일반화해야 한다. 자신의 경험에 그치는 것이 아니라 모두의 경험으로 확장해 가야 하는 것이 문학일 것이다.

우리 『시를 읽는 마을』에 회원들이 어렵게 첫 삽을 떴다. 시작은 10명이었지만 앞으로 참여하는 시인이 하나둘 늘어나길 기원해 본다. 우리의 첫 사화집을 만든 작은 몸짓을 보고 망설이던 회원들이 큰 용기를 갖기를 바란다. 누구나 시를 쓸 수 있다. 누구나 작가가 될 수 있다.

이제 우리의 감성이 시가 되고, 삶이 시가 되는 길을 걸어갔으면 좋겠다. 삶이 시가 되고, 시가 삶이었던 시인들의 뒷모습은 얼마나 아름다운가. 그래서 우리의 마음속에서 이상, 백석, 기형도 같은 시인이 살아나는 것이다.

이제, 우리의 숙제는 시를 독자에게 보내는 일이다. 이제까지 시가 자신의 울타리 안에서 맴돌았다면 울타리를 걷어 버리고, 세상 밖으로 우리의 시를 놓아주는 일이다. 시가 저 혼자 울림을 줄 수 없지만, 독자를 만나 작은 울림의 종소리로 울려 퍼지기를 바란다.

이제, 우리가 시에 스며들 차례이다.

2023. 12. 25